GILBERT DELAHA
MARCEL MARLIE

martine
et le prince mystérieux

Texte de JEAN-LOUIS MARLIER

CASTERMAN

– Voulez-vous un autographe ?

Depuis qu'il a fait du cinéma, mon Patapouf se prend pour une star !
C'était à Venise, pendant les vacances de carnaval. Un grand metteur
en scène l'avait choisi pour jouer le rôle du compagnon d'Arlequin.

Chien fidèle, il apportait à son maître le cadeau de Colombine.

« Les acteurs sont maquillés ? En place. Silence… Action ! »

Une prise, deux prises… cinq prises… « Coupez ! »

Le cinéma, c'est amusant au début mais on s'ennuie très vite.

Moi j'aurais préféré être là-bas, dehors, dans cette ville
où il y a tant à voir.

Pendant la pause, je suis descendue au bord du canal.

J'écoutais le clapotis de l'eau quand, soudain…

– Hep, vous…

Quelqu'un m'appelait.

– Pouvez-vous m'aider ? a chuchoté le jeune garçon.

– Vous aider ? Comment ?

– Sautez dans la barque et ramez. Il faut nous éloigner

au plus vite car des méchants veulent m'attraper.

6

Sans réfléchir, j'ai obéi.

    – Merci. Vous sauvez la vie
du dernier Prince de Venise,
a continué l'étrange personnage
après quelques instants. Mais ne
restons pas ici. Il faut attacher
la barque et s'éloigner
encore avant qu'ils
nous retrouvent.

Un prince poursuivi par des ennemis ? Quelle histoire et quelle course folle à travers la ville ! Des ponts, des escaliers… il faut de bonnes jambes pour fuir dans Venise. Mais fuir qui ? Où étaient-ils ces méchants dont le prince avait parlé. Étaient-ils derrière nous ou bien là, à nous attendre dans un coin sombre, cachés sous l'un ou l'autre masque ?

Moi, j'étais inquiète. Le prince semblait joyeux, comme s'il avait oublié la terrible menace.

De temps à autre, quelqu'un lui criait : « **Buongiorno, Pepino** ». À quoi il répondait d'un grand bonjour et d'un signe de la main. Moi, je me disais : pour un prince, il n'est pas fier et il a beaucoup d'amis.

– Êtes-vous certain que les méchants vous poursuivent encore ? lui ai-je demandé.

Il s'est figé…

– Là-bas ! a-t-il murmuré en remuant à peine les lèvres. Ils nous observent. Partons vite !

Nous avons couru, couru toujours plus loin pour ne nous arrêter qu'à l'abri d'une grosse colonne.

– Est-ce… que vous les voyez toujours ?

– Non, pour l'instant nous sommes hors de danger, mais restons sur nos gardes.

Sur la place, une petite fille m'a saluée comme si j'étais une grande dame. Il est vrai qu'avec le diadème et la jolie robe prêtés pour le film; je n'étais plus une simple fille nommée Martine mais quelqu'un d'autre, une princesse. Ça m'a donné une idée.

– Monsieur, ai-je lancé. Pourquoi ne pas échanger nos vêtements. Je suis persuadée qu'ainsi déguisé personne ne vous reconnaîtrait !

Le visage du garçon est devenu tout rouge.

– Moi ? En fille ? Vous êtes folle, je suis un prince !

– Oups, pardon ! J'ai dit une bêtise.

11

– N'en parlons plus, je vous offre un chocolat chaud, m'a dit le garçon.

Dans le restaurant somptueux, où nous sommes entrés, tous riaient et buvaient.

Mon prince a extirpé quelques pièces de son habit mais...

– Zut, je n'ai pas assez. J'ai... J'ai oublié mon or au palais, s'est-il excusé d'un air piteux.

Nous sommes donc ressortis sans rien boire... Voilà un drôle de prince.

Si vos ennemis sont si nombreux, pourquoi prendre le risque de courir dans la ville au lieu de vous cacher ?

– C'est que… a bafouillé le prince… je… je dois retrouver l'homme au masque à plumes rouges. Lui seul pourra me protéger.

– Un masque à plumes rouges ? Justement il y en a un, là-bas. Le voyez-vous ? Venez vite.

Monsieur, Monsieur ! Le prince a besoin de vous, ai-je crié à l'homme qui semblait ne rien comprendre.

– Ce n'est pas lui, a chuchoté le garçon en me tirant en arrière. Il faut chercher encore.

Une aiguille dans une meule de foin. Comment trouver cet homme emplumé de rouge dans une ville aussi grande, si pleine de monde, de masques et de chapeaux extravagants ? Sans compter les méchants qui eux sont partout.

– Ne vous retournez pas. Là-haut, certains nous observent. Vite !
Éloignons-nous plus encore.

– Prince, ai-je dit, il est tard. Nous ne pouvons pas courir ainsi toute la nuit.

– C'est dommage, a-t-il répondu tristement, on s'amusait bien.

– S'amuser ? me suis-je exclamée, surprise.

– Enfin… s'est repris le prince, je veux dire… Mais vous avez raison,
venez, je vais vous faire reconduire chez vous.

17

Sur le quai du grand canal, mon guide s'est approché d'une embarcation.

– Luigi, peux-tu raccompagner…

– « Martine », j'ai dit. Mon prénom, c'est « Martine ».

– Peux-tu raccompagner Martine jusqu'à son hôtel ?

Le rameur m'a fait signe de monter.

– Tandis que la gondole s'éloignait, là-bas le prince a crié :

– À demain, au même endroit. Je vous attendrai. Nous pourrons
continuer nos recherches et puis j'aurai… j'aurai des pièces
pour le chocolat.

Je lui ai fait un signe de la main.

– Il y a longtemps que vous connaissez le prince ? ai-je demandé
au gondolier.

– Pepino ? C'est mon petit frère !

– Il n'est pas… Il n'est pas un vrai prince ?

L'homme a arrêté son geste pour me regarder en souriant.

– Vous savez, jolie demoiselle, ici, en cette période de l'année, chacun a le droit, s'il le veut, de s'imaginer prince ou… princesse.

Notre Pepino a beaucoup d'imagination. Il inventerait n'importe quelle histoire pour se sauver de la maison pendant le carnaval. Il ne faut pas trop lui en vouloir.

Je ne lui en voulais pas.

J'ai retrouvé mon Patapouf.

– Demain, lui ai-je dit, je te présenterai un prince.

– Un vrai prince ? a-t-il demandé.

– Aussi vrai que toi, tu es un grand acteur.

Ce soir-là, nous avons rêvé tous les deux, Patapouf à ses succès de cinéma, et moi… au prince Pepino.

http://www.casterman.com
D'après les personnages créés par Gilbert Delahaye et Marcel Marlier / Léaucour Création.
Achevé d'imprimer en mai 2013, en Italie. Dépôt légal : septembre 2010 ; D. 2010/0053/519.
Déposé au ministère de la Justice, Paris (loi n° 49.956 du 16 juillet 1949 sur les publications destinées à la jeunesse).
ISBN 978-2-203-02978-1
L.10EJCNCF0252.C005